まちごとチャイナ
福建省 004

福州郊外と開発区
「閩江」の流れとともに
［モノクロノートブック版］

JN118520

武夷山系から福建省北部を流れて、福州にいたり、東海へと
そそぐ閩江。この閩江の恵みを受け、明清時代（1368 〜 1912
年）の福州は中国東南沿岸部を代表する港町となっていた。
福建省の省都がおかれて政治の中心となり、中国皇帝に朝
貢するため、この福州を目指す琉球船の姿があった。

　1842年、アヘン戦争後の南京条約で上海や広州などと
ともに開港が決まり、福州閩江沿いに西欧の商館、領事館、
教会がならんだ。一方、中国清朝は西欧列強の進出に対抗す
るため、福州に軍港、造船所、翻訳館をつくって近代化を進

めた。

　このような街の発展とともに、「福州旧城」から河港に近い「南台（閩江のほとり、閩江南岸に西欧の領事館がおかれた）」、より海運の利がある「馬尾」へと福州は拡大を続けてきた。現在は福州旧城東郊外に開発区が整備され、閩江沿いには高層ビルが林立している。

｜まちごとチャイナ｜福建省 004｜

福州郊外と開発区

「閩江」の流れとともに

Asia City Guide Production
Fujian 004

Around Fuzhou

福州郊区／fú zhōu jiāo qū／フウチョウジャオチュウ

「アジア城市（まち）案内」制作委員会
まちごとパブリッシング

Contents

閩江口河港から海港へ

亜熱帯のモンスーン気候に属し
年間を通じて湿気が多く温暖な福州
福建省都のこの街に使節や商人が集まった

閩江に育まれた

　古代華南の地には、甌江(浙江)の「甌越」、閩江(福建)の「閩越」、珠江(広東)の「南越」というように漢族と異なる百越族が水系ごとに暮らしていた。武夷山系から流れてきた閩江は、福州にいたる手前で、南の「烏龍江(南港)」と北の「閩江(北港)」にわかれ、北の閩江北岸に「福州旧城」が広がる。南北ふたつにわかれた流れは市街下流20kmの地点で再び合流し、羅星塔の立つ「馬尾(福州の外港)」を過ぎてから北東へ流れを変え、東海にそそいだ。この閩江に関して、マルコ・ポーロ(1254〜1324年)は「フージュー市の一辺を、幅一マイルは十分にあろうかという大河が流れている。河には筏の上に造られたみごとな橋がかかっている。これらの筏には重い錨をつるして移動を防ぎ、その上にがんじょうな厚板を釘づけにしている」(『東方見聞録』)と記している。全長577kmの閩江は福建北部の大動脈で、この地に生きる人びとにとって、人や物資を運ぶ交通、生活などで利用されるかけがえのないものだった。

琉球・長崎と福州

　琉球(沖縄)は1372年から明朝への朝貢をはじめ、当初、泉

20世紀初頭の福州市街

N

屏山

鼓山

西湖

福州旧城

于山

烏山

中亭街

南台

閩江

万寿橋

粗羿

煙台山

福州旧城

福州

南台

鼓山

馬尾

羅星塔

『福州攷』(野上英一/臺灣總督府熱帯産業調査會)
掲載図をもとに作成

州だった琉球船の受け入れ窓口は、やがて福州に遷された。以来、琉球船は1875年まで500年のあいだ、福建と琉球のあいだを往復し、福州の料理、文化が琉球に伝わった。また江戸時代の日本は鎖国政策をとって、長崎一港を対外窓口としたため、福州から多くの華僑が長崎に訪れた。「崇福寺（閩北系）」「福済寺（閩南系）」「興福寺（江南系）」の長崎三福寺は華僑によって建設され、興福寺の逸然の招きを受けて東渡した福州人（福清人）の隠元（1592〜1673年）は、黄檗宗の伝道、宇治萬福寺の開山、隠元豆の招来で日本人にも親しまれている。また福建華僑の多く暮らした長崎で、1899年、『四海樓』を開いた福州人陳平順は「長崎ちゃんぽん」を生んだ。こうした経緯から、福州は1980年に長崎と、81年に那覇と友好関係を結んでいる。

福建茶と福州の近代化

　福州はアヘン戦争後の1842年の南京条約で、広州、厦門、寧波、上海とともに開港したが、他の街と違って福建省の省都で清朝官吏の集まる福州の開港を、清朝側は最後までためらった（福建茶の産地に近いこと、琉球船の来航地であった福州への進出を西欧列強は企図していた）。当初、西欧の銀行や商社などの資本は上海に集まっていたが、太平天国の乱（1851〜64年）が起こると、福建茶の上海への運送路線がとどこおり、代わって閩江を通って福州に運ぶルートが浮上した。1860〜70年代前半は福建茶の交易で福州はおおいににぎわい、漢口（湖北省）や九江（江西省）とならぶ「中国三大茶市」として知られた。西欧の近代文明といち早く接したことから、清朝は海軍の整備、港湾の建設、翻訳館をおくなど、ここ福州で近代化の先鞭がつけられた。

福州旧城・南台・馬尾

　東海に面した閩江河口部は、入り組んだリアス式海岸となっていて、福清湾、羅源湾、興化湾など天然の良港を抱えている。この閩江口から45km遡行した地点に、福州の外港にあたる「馬尾」があり、大型船はここで停泊する(馬尾より上流は小型船に乗り換えて進む)。また長らく福州旧城の万寿橋(現在の解放大橋)あたりが福州港(河港)となっていた場所で、北岸は天后宮や古田会館など中国人商人の拠点がおかれてにぎわっていた。一方の南岸は、西欧の領事館や銀行、商館、キリスト教会がならぶ旧租界だった(1899〜1943年、専管国は日本)。この閩江ほとりの商埠地を「南台」と呼び、そこから「福州旧城」の中心部までは4kmほど離れていた。かつて朝貢に訪れた琉球船は、閩江から水路で福州旧城方面へ向かい、旧城南東外側に琉球館が立っていた。また福州旧城の東郊外にそびえる鼓山は、福州を代表する景勝地で、古刹涌泉寺には多くの参詣者が訪れる。

福州東郊外に立つ鼓山の涌泉寺

南台島と呼ばれる大きな中州に福州の高鉄駅は位置する

豊富な小吃がならぶ福州の街角

閩江のほとりに高層ビルが林立する

Nan Gong Yuan
南公園城市案内

閩江から福州旧城を目指した琉球の朝貢使節
街に入る手前の南公園近く
琉球の使節のためにつくられた柔遠駅(福州琉球館)

福州南公園／福州南公园★☆☆
fú zhōu nán gōng yuǎn
ふくしゅうみなみこうえん／フウチョウナァンゴォンユゥエン

　福州旧城南東外に広がる福州南公園。もともと清代初期の靖南王だった耿精忠(〜1682年)の別荘だったところで、「耿王荘」と呼ばれていた(清朝に反旗をひるがえして鎮圧された三藩の乱に参加した)。1915年、公園となり、その後何度も改修され、現在は池を中心に亭や奇石が展開する古典園林となっている。

柔遠駅(福州琉球館)／柔远驿★★☆
róu yuǎn yì
じゅうえんえき(ふくしゅうりゅうきゅうかん)／ロウユゥエンイイ

　明清時代、中国に朝貢に訪れる琉球(沖縄)の使節を迎え、100人ほどの琉球の人びとが暮らしていた柔遠駅(福州琉球館)。もともと泉州にあったものが、1470年ごろ福州に遷され、清代は「福州琉球館」の名で知られた。柔遠駅とは「遠人を柔(なず)ける」を意味し、福州旧城の外側に位置することからも、ここが夷国懐柔のための施設でもあったことがうかがえる。近くには清代の1668年に建設された万寿橋(現在の解放大橋の場所にかかっていたものとは異なる小さな石橋)が残り、琉球の使節は閩江から水路をたどってこの万寿橋のたもと

福州旧城
と南公園

西湖

東街口

三坊
七巷

福州旧城

南門兜

于山

水部

地鉄2号線

烏山

西洋

茶亭

地鉄1号線

柔遠駅
(福州琉
球館)

寧化

祥坂

白馬南路

八一七中路

達道

五一中路

南公園

南公園

六一中路

上下杭
街区

商台

万寿橋

閩江
大橋

江濱西大道

閩江

泛船浦
天主教堂

江心
公園

蒼前路

煙台山

上藤

上三路

三叉街

0km　　　　　　　　　　　　　3km

N

で上陸した。100から300人もの琉球人が乗船し、食料、宿、馬車、人夫など柔遠駅での滞在費はすべて中国側が負担した。皇帝のいる北京へのぼる使節以外は、柔遠駅で交易に従事し、商人たちでおおいににぎわった。福州で長期間過ごした琉球人も多く、柔遠駅内の天妃宮そばに位置する崇報祠は、この地でなくなった琉球人がまつられている。明治時代の1879年に琉球が日本の沖縄県になると、中国への朝貢は途絶えたが、500年のあいだに241回の朝貢、のべ20万人を超える琉球人が福州を訪れたという。

福州市博物館／福州市博物馆★☆☆
fú zhōu shì bó wù guǎn
ふくしゅうしはくぶつかん／フウチョウシイボオウグゥアン

陶瓷器、青銅器、絹織物、調度品はじめ、福州名産の寿山石彫、脱胎漆器などを収蔵する福州市博物館。『閩都華章(福州歴史文化)』『海絲門戸有福之州(福州海のシルクロード文化遺産)』といった展示からなる。なかには定海沈没船からひきあげられた品、この地方の民家と船をモチーフとした建物、福州でつくられた船や宋代の男女の遺体、副葬品などが展示されている。

★★☆
柔遠駅(福州琉球館)／柔远驿 ロウュゥエンイイ
泛船浦天主教堂／泛船浦天主教堂 ファンチュウアンプウティアンチュウジアオタァン

★☆☆
福州南公園／福州南公园 フウチョウナァンゴォンユゥエン
上下杭歴史文化街区／上下杭历史文化街区 シャンシァハァンリイシイウェンフゥアジエチュウ
閩江／闽江 ミィンジィアン
万寿橋／万寿桥 ワンショウチィアオ
閩江大橋／闽江大桥 ミィンジィアンダアチィアオ
煙台山／烟台山 イエンタァイシャン
江心公園／江心公园 ジィアンシィンゴォンユゥエン

福州南公園

N

柔遠駅
（福州琉
球館）

国貨東路

福州市
博物館

国貨西路

万寿橋

五一中路

南公園

六一中路

榕城古街

台江路

地鉄一号線

台江
歩行街

閩江
大橋

閩江

0km   1km

★★☆
柔遠駅(福州琉球館)／柔远驿 ロウユゥエンイイ
★☆☆
福州南公園／福州南公园 フウチョウナァンゴォンユゥエン
福州市博物館／福州市博物馆 フウチョウシイボオウウグゥアン
台江歩行街／台江步行街 タイジィアンブウシィンジエ
閩江／闽江 ミィンジィアン
閩江大橋／闽江大桥 ミィンジィアンダアチィアオ

白の漆喰壁でおおわれた柔遠駅（福州琉球館）

豊かな自然にふれられる福州南公園

日中友好の石碑が立つ

かつて100人もの琉球人が暮らした柔遠駅（福州琉球館）

Tai Jiang
台江城市案内

閩江の北岸は明清時代からにぎわいを見せ
物資が集散されたかつての埠頭
福州旧城から南4kmほどの距離

中亭街／中亭街★★☆
zhōng hēng jiē
ちゅうほうがい／チョンハァンジエ

　福州旧城の南門から閩江に向かって伸びる大通りの八一七路(中亭街)。市街南北を結ぶ通りは。唐宋時代に「南后街」、その後、「中亭街」と呼ばれて、福州随一のにぎわいを見せていた。閩江北岸あたりは王審知(909〜945年)が南門から閩江をのぞんだことに由来する「南台」とも、「中亭街」や「台江」とも呼ばれる。紀元前770年ごろから人が住んでいたとされ、入植を進める漢族は閩江を伝わってここから福州へと上陸した。福州旧城から離れた南台が発展したのは北宋(960〜1127年)ころからで、対外貿易の拠点として発展をはじめた。以来、明清時代にかけて福州旧城の西郊外と南郊外でいくつもの市が立つようになり、とくに明(1368〜1644年)代、泉州に替わって福州の港が台頭すると、この南台が福州港として繁栄した。現在は閩江のほとりに高層ビルが林立する。

上下杭歴史文化街区／上下杭历史文化街区★☆☆
shàng xià háng lì shǐ wén huà jiē qū
じょうげこうれきしぶんかがいく／シャンシャアハァンリイシイウェンフゥアジエチュウ

　八一七中路(中亭街)から西側に走る路地の上杭路と、下杭

路からなる上下杭街区（「杭」と同音の「航」、「上航」と「下航」を意味する）。明代以降、閩江近くの埠頭としてこのあたりに店舗がならぶようになり、中華民国時代は福州でもっともにぎわう界隈だった。21世紀に入ってから再整備された街区は、福州旧城に残る三坊七巷とともに古い時代の福州の面影を残す。銭荘（旧式銀行）や綿布商人、茶桟（茶商人）といった店舗が集まり、「張真君祖殿」「福州商務総会旧址」「採峰別墅」「天后宮」などが位置することから、老福州博物館にたとえられる。

陳文龍紀念館／陈文龙纪念馆 ★☆☆

chén wén lóng jì niàn guǎn

ちんぶんりゅうきねんかん／チィンウェンロンジイニィエングゥアン

　陳文龍紀念館は南宋時代の官吏である陳文龍（1232〜77年）にまつわる博物館。陳文龍は福建莆田の出身で、1268年に状元となって南宋朝廷に仕えたが、やがてモンゴル軍の侵入を受け、都落ちし、福州、泉州と逃れるなかで自害した。明清時代になると、「救国の英雄」として福建省で陳文龍がまつられるようになり、とくに福州では媽祖とともに「鎮海王」と呼ばれて水上交通の神さまとしても信仰された。明末清初、陳文龍に送られた称号名から「尚書廟」ともいう。

★★☆

中亨街／中亨街 チョンハァンジエ

泛船浦天主教堂／泛船浦天主教堂 ファンチュウアンプウティアンチュウジアオタァン

柔遠駅（福州琉球館）／柔远驿 ロウユウエンイイ

★☆☆

陳文龍紀念館／陈文龙纪念馆 チィンウェンロンジイニィエングゥアン

上下杭歴史文化街区／上下杭历史文化街区 シャンシャアハァンリイシイウェンフゥアジエチュウ

古田会館／古田会馆 グウティエンフゥイグゥアン

台江歩行街／台江步行街 タイジィアンブウシィンジエ

閩江／闽江 ミィンジィアン

万寿橋／万寿桥 ワァンショウチィアオ

閩江大橋／闽江大桥 ミィンジィアンダアチィアオ

煙台山／烟台山 イエンタイシャン

江心公園／江心公园 ジィアンシィンゴォンユゥエン

福州南公園／福州南公园 フウチョウナァンゴォンユゥエン

福建省北部を東西につらぬく閩江

街角でもの売りに出合った

閩江を越える架橋がこの街の交通を劇的に改善させた

1年中暖かい気候が続く

古田会館／古田会馆 ★☆☆
gǔ tián huì guǎn
こでんかいかん／グウティエンフゥイグゥアン

　レンガづくりの外壁をもつ古田会館は、中華民国初期の1915年に建てられた。古田とは福州から閩江上流に位置する古田県のことで、その商人が福州で商いをする拠点となっていた。2階建て、三間、三進の福州伝統の建築様式で、天井には見事な装飾がほどこされている（東院は海の守り神をまつる天后宮）。2007年に再建され、戯台も見られる。

台江歩行街／台江步行街 ★☆☆
tái jiāng bù xíng jiē
だいこうほこうがい／タイジィアンブウシィンジエ

　閩江にそうように走る繁華街の台江歩行街。大型店舗が集まり、多くの人でにぎわう通りとなっている。近くには牌楼や楼閣建築がならぶ榕城古街も位置する。

閩江／闽江 ★☆☆
mǐn jiāng
びんこう／ミィンジィアン

　武夷山系の水を集めて福建省北部を東流し、福州近郊で東海にそそぐ全長577kmの閩江。山がちな福建省の地形から、流れが急なことを特徴とする。閩江は福州市街の手前で南北ふたつの流れにわかれ、「福州の外港」馬尾の羅星塔付近で再び、合流する（今では閩江の堆積でつくられた巨大な中洲を南台島と呼ぶ）。人びとの生活にかかせない水を運んだほか、物資の運搬、交通網の役割も果たし、福州はこの閩江の恵みを受けて発展した。

福州港／福州港 ★☆☆
fú zhōu gǎng
ふくしゅうこう／フウチョウヴァン

　漢代の1世紀ごろから、福州の海上交通が開けたと言われ、その後、宋、元代を通じて発展を続け、明代には福建最大の貿易港になった。当時の福州港は閩江から50km遡上した南台にあり、閩江を通じて運ばれてきた木材が集まり、船乗り、船大工、商人たちが閩江北岸に住んだ（また琉球の朝貢船が琉球に帰るときには、ここで福州の官吏が宴を開いて送り出したという）。南台の万寿橋（解放大橋）あたりにあった福州河港は、潮汐の影響を受け、河床も浅いことから、やがて福州から河口へくだった馬尾港が外港として使われるようになった。現在の福州港は馬尾港からさらに閩江をくだり、大型船の着岸できる東海に面した福清湾、羅源湾が福州港として使われている。

万寿橋／万寿桥 ★☆☆
wàn shòu qiáo
まんじゅきょう／ワンショウチィアオ

　福州市街と閩江を超えた中洲（現在の南台）を結んだ万寿橋（現在の解放大橋）。流れが急で川幅の広い閩江の南北を往来するのは難しかったが、宋代の1093年、王祖道が木船をならべてつくった浮き橋をはじまりとする。華南布教をねらい、福建各地で橋梁建設を行なった仏教の一派頭陀教の王法助によって元代の1322年に完成した（19年もの歳月を費やした石づくりの橋）。中洲をはさんで北側を「万寿橋」と南側を「蒼前橋」と呼び、福州旧城と閩江南岸の往来が便利になった。

Cang Qian Shan
蒼前山城市案内

閩江南岸に広がる一帯を蒼前山と呼ぶ
1842年の南京条約以後、西欧列強が拠点を構え
半植民地の租界が築かれた

閩江大橋／闽江大桥★☆☆
mín jiāng dà qiáo
びんこうおおはし／ミィンジィアンダアチィアオ

　　西の万寿橋(解放大橋)とともに、福州市街と中洲(現在の南台)を結ぶ閩江大橋。長さは500mになり、閩江の急な流れに対応するため、頑強な橋脚をもつ。

泛船浦天主教堂／泛船浦天主教堂★★☆
fàn chuán pǔ tiān zhǔ jiào táng
はんせんほてんしゅきょうどう／ファンチュウアンプウティアンチュウジィアオタァン

　　泛船浦天主教堂(天主堂)は、福建省でも最大規模のキリスト教会。福州へのキリスト教布教は、1624年、イエズス会のイタリア人宣教師艾儒略(Giulio Aleni)が福州を訪れたことではじまった。アヘン戦争後の1860年以降、中国人の信教の自由と内地布教が認められると、中国各地にキリスト教会が建てられ、中国人のキリスト教信者が増えていった(医療や教育と伝道をあわせ、プロテスタントの布教も進んだ)。この泛船浦天主教堂は1864年に建てられ、1933年の重建で現在の姿となったが、その後、文革で破壊され、1985年に改修されている。高さは31.2m、尖塔に十字架が立つ姿は、「江南第一大堂」とも呼ばれ、礼拝堂の天井はアーチを描き、列柱がつらなる。鐘楼や礼拝堂のほか、診療所や学校をそなえていた。

蒼前山

N

遠道

五一南路

八七南路

榕城
古街

台江歩行街

上下杭
街区

中寧街

閩江
大橋

閩江

南江濱西大道

万寿橋

泛船浦
天主教堂

安瀾
会館

煙台山

蒼前山

歴史文化
鳳風区

楽群路

上藤

陳靖姑故居

イギリス
領事公館跡

公園路

旧日本
領事館跡

大坪路

南台路

上三路

0km   1km   三叉街

煙台山／烟台山 ★☆☆
yān tái shān
えんたいさん／イエンタァイシャン

　福州旧城から見て、閩江対岸に位置する丘陵の煙台山。煙台山という名前は、明代、中国東南沿岸部を荒らした倭寇から街を守るために、ここに軍事拠点と煙台(福州旧城に煙をあげて有事を知らせる烟台)がおかれたことに由来する。福州旧城と閩江をくだって東海に通ずる地の利から、この地の重要性が高まり、1840〜42年のアヘン戦争以後、西欧列強は煙台山あたりに拠点を構えた(中国商人たちの拠点は対岸の北岸にあった)。現在は煙台山公園として整備され、亜熱帯性の樹木の植生が見られる。

煙台山歴史文化風貌区／烟台山历史文化风貌区 ★★☆
yān tái shān lì shǐ wén huà fēng mào qū
えんたいさんれきしぶんかふうぼうく／イエンタァイシャンリイシイウェンフゥアフェンマァオチュウ

　長らく鎖国政策のとられていた清朝も、1842年、アヘン戦争後の南京条約を機に、香港島がイギリスに割譲され、広州、厦門、福州、寧波、上海が開港された。近代以降、西欧列強の拠点となり、外交官、商人、銀行員などが集まった煙台山界隈の旧租界は、煙台山歴史文化風貌区として整備され

★★☆
泛船浦天主教堂／泛船浦天主教堂 ファンチュウアンプウティアンチュウジィアオタァン
煙台山歴史文化風貌区／烟台山历史文化风貌区 イエンタァイシャンリイシイウェンフゥアフェンマァオチュウ
中亨街／中亨街 チョンハァンジエ

★☆☆
閩江大橋／闽江大桥 ミィンジィアンダアチィアオ
煙台山／烟台山 イエンタァイシャン
イギリス領事公館跡／英国领事公馆旧址 イングゥオリンシイゴォングゥアンジィウチイ
安瀾会館／安澜会馆 アァンラァンフゥイグゥアン
陳靖姑故居／陈靖姑故居 チェンジィングウグゥウジゥウ
上下杭歴史文化街区／上下杭历史文化街区 シャンシァアハァンリイシイウェンフゥアジエチゥウ
台江歩行街／台江步行街 タイジィアンブウシィンジエ
閩江／闽江 ミィンジィアン
万寿橋／万寿桥 ワァンショウチィアオ

ている。1845年のイギリス領事館に続いて、1854年にアメリカ領事館が建てられ、フランス、オランダ、デンマーク、スウェーデン、ノルウェー、スペイン、ポルトガル、ドイツ、ロシア、日本などがこの地に進出した（上海外灘と同様の性格をもち、「中国人入るべからず」の看板があったという）。「匯豊洋行」「美国（アメリカ）領事館」「俄羅斯（ロシア）領事館」「華南女院教学楼」など、当時、建てられた石づくりの近代建築が残る。

イギリス領事公館跡／英国領事公馆旧址★☆☆
yīng guó lǐng shì gōng guǎn jiù zhi
いぎりすりょうじこうかんあと／イングゥオリィンシイゴォングゥアンジィウチイ

1840〜42年のアヘン戦争以後の南京条約で、福州の開港が決まり、ひとまずイギリスは南台の民家に領事館をおいた。当初、浅瀬が多く、川幅も狭い閩江（北港）の条件から、福州に代わって温州を拠点としようという案もあったが、1845年、この地でイギリス領事館が開業した（イギリスが福州に領事館をおいたのは、福建茶の産地に近いこと、福建省の政治的中心であることなどが理由）。やがて、イギリスは中国人官吏の暮らす福州旧城に進出したが、城内中心からは遠ざけられ、烏山の仏教寺院に領事館がおかれた。

イギリスと茶

宋（960〜1279年）代以降、福建で栽培されるお茶の品質が、中国全土に知られるようになった。イギリス人は「ブラック・ティー（紅茶）」の名前が定着するまで、茶の産地、福建武夷山の名前をとって、茶を「ボヘア」と呼んだ。福州は福建茶の積出港として期待されたが、1844年の福州開港後、9年間は正式な貿易はなく、アヘン密貿易のための外国商船が停泊していた。こうしたなか太平天国（1851〜64年）の乱で、福建茶の上海への輸送路がたたれたこともあり、1853年、アメリカの旗昌洋行は武夷山から閩江をくだって、茶葉を福州へ

アヘンをめぐってイギリスと清朝のあいだで熾烈な戦いが行なわれた

長らく山がちで悪かった福建省の交通の便も高速鉄道によって変わっていった

閩江にかかる橋で釣りを楽しむ人たち

石づくりの見事な建築、泛船浦天主教堂

運ぶことで運送費を劇的にさげた。武夷山星村から茶葉50箱を、4〜8日かけて福州へ運び、それまでより3両5銭安い運賃になった(それまでは福州への有利なルートが見つからず、武夷山から江西省、鄱陽湖、贛州をへて、北江をくだって広州へといたっていた)。1860年〜70年代前半は福建茶による景気で福州はとくににぎわい、山西商人に替わって福建商人、広東商人が活躍した。

近代日本と福州

1894〜95年の日清戦争後、日本は台湾を獲得し、その対岸の福建省への進出を試みた。ドイツが山東省、ロシアが大連・旅順、フランスがベトナムから広東、広西に勢力を伸ばすなか、1898年、日本は清朝と「福建省不割譲協定」を結んで、福建省をその勢力範囲とした(福建省を他の国へ割譲させない)。こうして福州に進出した日本は、煙台山東側の地を獲得し、1899〜1943年にあった福州租界の専管国は日本であった。日本人学校や福州神社が建てられたほか、三井洋行が1910〜11年まで木材輸出のため、福建と台湾のあいだに汽船を航行させるなど、福州は日本にとって戦略上の要地であった。

安瀾会館／安澜会馆★☆☆
ān lán huì guǎn
あんらんかいかん／アァンラァンフゥイグゥアン

福州旧城と対岸の中洲を結んだかつての万寿橋(解放大橋)のたもとに位置する安瀾会館。浙江省慈溪商人たちが集まったところで、安瀾とは「風平浪静、賜福安瀾」を意味する。1773年に開館し、内部は戯台や伝統工芸がほどこされ、中国伝統様式となっている。慈溪商人たちは閩江上流から運ばれてきた木材を、故郷の浙江省へと運んだ。

陳靖姑故居／陈靖姑故居 ★☆☆
chén jìng gū gù jū
ちんせいここきょ／チェンジィングウグウジュウ

　福州を中心とした閩江流域の守り神で、媽祖とともに信仰を集める陳靖姑の故居。陳靖姑は唐代の767年、この地福州藤山下渡に生まれ、雨乞いなどで霊異を発揮したことから、唐代後期に信仰が広がっていった。「臨水夫人」の名でも知られ、閩東や閩江流域の船乗りたちに信仰されているほか、赤子の保護者でもある。また福州人の進出した台湾、東南アジアでも陳靖姑が信仰されている。

江心公園／江心公園 ★☆☆
jiàng xīn gōng yuán
こうしんこうえん／ジィアンシィンゴオンユウエン

　閩江に浮かぶ中洲を利用した江心公園。福州を象徴するガジュマル(榕樹)はじめ、亜熱帯の樹木が植えられている。かつて閩江の中洲では鵜飼が見られたという。

琉球墓苑／琉球墓園 ★☆☆
liú qiú mù yuán
りゅうきゅうぼえん／リィウチィウムウユウエン

　閩江中洲(南台)の丘陵地帯、蒼山に位置する琉球人墓地。琉球(沖縄)は、薩摩(日本鹿児島)と福州(中国)双方に通じ、明清時代、多くの琉球人朝貢使節や商人が福州に渡った。航海の途中で生命を落としたり、客死した琉球人はここ蒼山白泉庵や福州城東門外の金鶏山に埋葬された。1963年には66基の琉球人の墓が確認され、かつては576の墓があったとも伝えられる。この福州で見られる亀甲墓の様式は、琉球(沖縄)にも伝えられている。

福州琉球500年の交流

福州と薩摩（鹿児島）にあった琉球館
琉球（沖縄）の人びとは航海守護の媽祖をまつり
危険をともなう唐旅こと中国への旅へ向かった

朝貢と琉球（沖縄）

　モンゴル族の元に替わって、1368年、明朝が樹立されると、洪武帝（朱元璋）を中心とする儒教的中華体制の確立が目指された。明朝は琉球に使節を派遣して朝貢をうながし、琉球の側でも群雄割拠から抜けだした3つの勢力のうち、1372年、琉球国中山王の察度が弟の泰期を明へ派遣した（請封使）。明はそれに応えるかたちで冊封使を琉球に派遣して「琉球国中山王と為す」と冊封した。中国の周辺国は、それぞれの入貢窓口（港）がわりあてられ、琉球の窓口は福州（はじめは泉州）の「柔遠駅」、日本の窓口は寧波の「安遠駅」、東南アジア諸国は広州の「懐遠駅」で、やがて大航海時代（15～17世紀）をへて中国を訪れた西欧諸国の窓口も広州におかれた（その後、広州に近いマカオ、香港が西欧の拠点となった）。明朝から清朝に王朝が替わったとき、琉球では明の印を中国側に返還し、清の印を新たに受けとった。

琉球の使節、福州へ

　いくつかの船にわかれて中国に向かう琉球の一行は、総勢500人にもおよび、東北からの季節風に乗って10日前後で福州にたどり着いた。琉球の使節は閩江をさかのぼり、福州

那覇
（琉球国の都）

古島
市立病院前
儀保
おもろまち
首里
美栄橋
久米三十六姓
（閩人三十六姓）
が暮らした
久米村
福州園
牧志
安里
篇望城
首里城
那覇
琉球国の宮城
県庁前
旭橋
壺川
0km
3km
N

N
五島
列島
長崎
蘇州
鹿児島
上海
種子島
杭州
舟山群島
中国
沖縄（琉球国）
福州
台北
厦門
広州
マカオ　香港

福州・沖縄・長崎

旧城外に定められた「柔遠駅(福州琉球館)」で旅装をといた。その後、正使、副使と従者は中国皇帝に謁見するため北京に向かい、その他の人びとは「柔遠駅(福州琉球館)」に残った。福州と北京の往復、滞在は半年以上を要し、そのあいだの滞在費はすべて中国側が負担した(北京から使節が戻り、夏至のころ、南からの季節風で琉球へ戻った)。琉球から昆布やナマコ、フカヒレ、銅器、扇などが運ばれ、一方、中国から絹織物、青磁器、漢方薬、茶が琉球にもち帰られた。琉球船が進貢した品に対して、中国側の下賜する品はその倍もの価値があり、琉球では「唐一倍」の言葉も知られた。

琉球処分から沖縄へ

　琉球館は福州のほか、薩摩にもあり、琉球(沖縄)はふたつの国のあいだで舵とりしなくてはならない宿命を背負っていた。「中国を父、日本を母に」といった考えから、琉球は明のほか、薩摩の島津氏にも使節を送っていて、1591年、琉球の朝貢使が日本の朝鮮出兵を福建官吏に伝えている。こうした関係は500年続いたが、やがて日本で明治維新が起こり、廃藩置県が行なわれると、1879年に琉球は沖縄県となった。結局、1875年の朝貢が最後となり、「柔遠駅(福州琉球館)」の歴史も幕を閉じたが、琉球の一部では日本への不服従運動が起こり、なかには中国に渡り、琉球王国の復活を清朝に訴える琉球人もいたという。

沖縄に見る中国文化

　琉球人が福州で滞在したのに対して、中国人も沖縄久米村(くにんだ)に暮らし、その居留地は「唐営」と呼ばれた。この久米村は明洪武帝(朱元璋)から派遣された閩人三十六姓にゆかりがあり、沖縄には優れた中国の文化が伝えられている。首里城正殿の庭前には、福建からもたらされた青石でつ

くられた一対の竜柱が立ち、士族階級は唐名をもっていた。航海技術、風水や書道、絵画といったなかで、とくに福建料理が沖縄の料理に大きな影響をあたえている。仏教の影響から長らく肉食が禁じられていた日本と違って、沖縄料理では豚を使った料理が多く見られる。苦瓜、アシディビチ、豆腐チャンプルといったものは福州でも食べられ、福州と沖縄というふたつの街のつながりを示している。また琉球王国(1429〜1879年) では武器の携帯が禁じられたことから、福州から伝わった中国拳法の影響のもと「唐手(空手)」が独自の発展を見せ、明治時代に入ると、沖縄の「唐手」が日本に紹介され、「空手」となり、日本武道のひとつとして確立された。

Gu Shan
鼓山城市案内

福州旧城の東20kmにそびえる鼓山
古くから福州随一の景勝地と知られ
名刹涌泉寺が立つ

鼓山／鼓山★★★
gǔ shān
こざん／グウシャン

　　主峰の絶頂峰を中心に、白雲、鼓子などの峰が連なる標高900mの鼓山。この山の頂には大きな岩があり、風が吹くと「太鼓を打つような音」が聞こえることから、鼓山と名づけられた。古くから仏教聖地として知られ、小さなお寺(華厳院)のあった場所に、福州の街づくりを進めた王審知の908年、鼓山中腹に涌泉寺が建てられた。あたりは時代を超えて彫られ続けた400もの磨崖石刻はじめ景勝地が点在し、幽玄な世界が広がっている。涌泉寺のそばから、2500段の石段が頂へ伸び、日の出を拝む人びとの姿があるなど、「福州では鼓山に遊ぶべし」と言われる。

涌泉寺／涌泉寺★★★
yǒng quán sì
ゆうせんじ／ヨンチュウアンスウ

　　鼓山中腹に立つ白雲峰の麓に残り、「閩刹の冠」とも言われる福建省を代表する涌泉寺。創建は開閩王の王審知(862〜925年)の908年で、沼地を埋め立てて伽藍が整備され、福州雪峰寺から神晏が招かれて国師舘となった(仏教を保護することで国づくりが進められた)。その後、北宋真宗(在位997〜1022年)か

福州郊外と開発区

閩王
王審知墓

寿山

林陽寺

福州撓城高速公路

福州北郊

福州
森林公園

象峰
崇福寺

福州駅

張経墓

王坊
七巷

于山

鳥山

柔遠駅

金山寺

鼓嶺

鼓山

湧泉寺

地鉄2号線

南西郊外

閩江南港

奥体
中心

福州
南駅

羅星塔

馬尾

0km   20km

N

ら涌泉善院の寺名が下賜され、規模が拡大し、1405年、境内に泉が湧き出していることから、涌泉寺と呼ばれるようになった。1408年、1542年に焼失しているがその度に再建され、明末の1627年に再建されたあとも改修が続いて、現在にいたる。朱塗りの塀をもち、鼓山の豊かな自然のなか、1000年以上続く名刹のたたずまいを見せる。隠元に続いて黄檗山萬福寺2世となった木庵性瑫は、この涌泉寺の僧であったと言われる。

涌泉寺の庭先

涌泉寺の庭先には、寺号の由来となった四角い小さな井戸「羅漢泉」が湧いている。また天王殿前の左右には、楼閣式の陶器製双塔「千仏陶塔」が立ち、それぞれ直径1.2mの八角九層で高さは7mになる（北宋の1082年の銘があり、1973年に福州南部の龍瑞寺から遷された）。ほかには、ここ涌泉寺は「空海入唐之地」と知られ、804年、遣唐使として海を渡った空海は、福建赤岸鎮に上陸し、その後、福州を訪れている。

★★★
鼓山／鼓山 グウシャン
涌泉寺／涌泉寺 ヨンチュゥアンスウ
羅星塔／罗星塔 ルゥオシィンタア
★★☆
柔遠駅（福州琉球館）／柔远驿 ロウユゥエンイイ
馬尾／马尾 マアウェイ
★☆☆
閩江／闽江 ミィンジィアン
福州市海峡奥体中心／福州市海峡奥体中心 フウチョウシイハイシャアアオティイチョンシン
閩江金山寺／闽江金山寺 ミィンジィアンジィンシャンスウ
張経墓／张经墓 チャァンジィンムウ
閩王王審知墓／闽王王审知墓 ミィンワンワンシェンチイムウ
福州森林公園／福州森林公园 フウチョウサァンリィンゴォンユゥエン
崇福寺／崇福寺 チョォンフウスウ
林陽寺／林阳寺 リィンヤァンスウ
寿山／寿山 ショウシャン

法堂

大雄
宝殿

涌泉寺

天王殿

千仏
陶塔

千仏
陶塔

羅漢泉

鼓
山
路

0m   300m

涌泉寺

涌泉寺の伽藍

　涌泉寺山門、庭先をへてなかに入ると、明(1368〜1644年)代末期に再建された、極彩色の屋根をもつ伽藍が奥に展開する。康熙帝の筆による額がかかる「天王殿」、涌泉寺の中央に立ち、明代につくられた高さ5mの三世仏(阿弥陀如来、釈迦如来、薬師如来)が安置され、周囲を十八羅漢像がとりまく「大雄宝殿」、石垣のうえに立ち、釈迦如来像のまつられた「法堂」へと続く(法堂天井には見事な仏画が描かれ、ここでは雨乞いも行なわれていた)。伽藍内には千人炊きの鉄鍋、直径1.5mの「香積厨」も見られ、かつてはこれで米をたき、涌泉寺で修行する僧侶の食事がつくられた。

鼓山磨崖題刻／鼓山摩崖石刻 ★☆☆
gǔ shān mó yá shí kè
こざんまがいだいこく／グウシャンモオヤアシイカア

　鼓山には篆書、隷書、楷書、行書、草書と多彩な書体で刻まれた、400あまりの磨崖題刻が見られる。これらは宋(960〜1279年)代から清(1616〜1912年)代にいたるまで長年かけて刻まれ続けたもの。鼓山にはいくつもの洞窟が残り、書の宝庫と言われる「霊源洞」、鼓山北西の絶壁に位置する幅16m、深さ5mの「白雲洞」が知られる。

鼓山には多くの人が訪れる

中国華南を代表する古刹の涌泉寺

天王殿の門前に立つ千仏陶塔

湧き出す泉が寺院名の由来となった

鼓山の緑と伽藍の極彩色が鮮やかに対比する

次々に開発の進む東部新城

西欧人の避暑地となった鼓嶺

　　鼓山の北側にそびえる標高998mの鼓嶺。1885年にアメリカ人宣教師が別荘地を構えたのが最初で、以後、亜熱帯にあって夏でも30度をしたまわる気候のよさから、福州に赴任した西欧人の避暑地となってきた。日本でも知られるイギリス人オールコックは通訳官パークスを連れ、1844年に厦門領事から福州領事となり、その後、上海領事、広東領事を歴任した（その後の1859年、駐日総領事として江戸に着任）。またフランス人ポール・クローデルは1900〜05年に福州領事をつとめ、『大地への入口』『山（鼓嶺）へ向かって』などを記している。ポール・クローデルの記した小説『薔薇の名〜長谷寺の牡丹』は日本を舞台にしているが、ポーランド系の人妻ロザリー・ベッチ（愛称ローザ）と恋に落ちた福州涌泉寺での出来事をモチーフにしているという。

東部新城／东部新城★☆☆
dōng bù xīn chéng
とうぶしんじょう／ドォンブウシィンチャン

　　東部新城は手狭になった福州旧城を受けて、21世紀に入ってから開発が進められた新市街。高速鉄道の福州南駅が位置するなど、大きな街区をもち、高層ビルが林立する。福州外港の馬尾港へ近いなどの地の利がある。

福州海峡国際会議展示センター／福州海峡国际会展中心★☆☆
fú zhōu hǎi xiá guó jì huì zhǎn zhōng xīn
ふくしゅうかいきょうこくさいかいぎてんじせんたー／フウチョウハァイシィアグゥオジイフイチャンチョンシィン

　　東部新城の中洲を利用して建てられた福州海峡国際会議展示センター。67万平方メートルの広大な敷地面積をもち、中心の会議中心、その東西にそれぞれふたつずつの楕円形の展覧館が配されている。会議、見本市など各種イベントが開かれる。

鳳洋将軍廟／凤洋将军庙 ★☆☆

fèng yáng jiāng jūn miào

ほうようしょうぐんびょう／フェンヤァンジィアンジュンミィアオ

　　鳳洋将軍廟は琉球から派遣され、福州で生命を落とした軍人をまつる霊廟。鳳洋将軍は明の洪武帝（朱元璋）が琉球へ派遣した福州人の末裔で、1560年、琉球から朝貢船で福州に入貢したとき、暴風雨で生命を落とした。そのとき廟を建てたのがはじまりで、清代に再建され、門前の牌楼、四隅のそりあがった屋根、この地方の派手な装飾が見られる。

南西郊外城市案内

Nan Xi Jiao Qu

福州を手前にして大きく南北へわかれる閩江の流れ
巨大な中洲（南台）には
福州ゆかりの人びとの墓廟が残る

厳復墓／严复墓 ★☆☆
yán fù mù
げんふくぼ／ヤァンフウムウ

　清朝末期から民国初期に生きた思想家、教育者で、福州
閩侯出身の厳復（1854〜1921年）。洋務運動で設立された福州
船政学堂の卒業後、イギリスに留学したが、1894〜95年の
日清戦争で北洋艦隊が壊滅したことに衝撃を受け、翻訳や
講義を通じて西欧の政治や経済、自然科学といった学問や
思想を紹介した（李鴻章の創設した北洋水師学堂などで教鞭をとっ
た）。アダム・スミスの『国富論』、ミルの『自由論』、モンテス
キューの『法の精神』が厳復の代表的な翻訳作品で、1911年
の辛亥革命ののちに北京大学の校長にも就任している。福
州近郊の陽岐にあるこの厳復墓は、1910年、厳復本人によっ
て建てられた。

鄭公渡／郑公渡 ★☆☆
zhèng gōng dù
ていこうと／チェンゴォンドゥウ

　閩江南港にのぞみ、南の莆田方面へ続いていく陽岐の渡
船場は「鄭公渡」とも呼ばれる。「鄭」は鄭成功（1624〜62年）に
由来し、この渡し場はオランダから台湾を奪回する戦いで
使われた軍の渡船場だったという（反清復明を掲げた鄭成功は、清

南西郊外

朝におされ、福建省沿岸に替わる根拠地を台湾に求めた）。

福州市海峡奥体中心／福州市海峡奥体中心 ★☆☆
fú zhōu shì hǎi xiá ào tǐ zhōng xīn
ふくしゅうしかいきょうおうたいちゅうしん／フウチョウシイハァイシャアアオティイチョンシィン

　　福州市街南の中州(南台)の中心に立つ大型総合施設の福州市海峡奥体中心。貝のイメージされた6万人を収容する「メインスタジアム」をはじめ、流線型の美しい外観をもつ卓球や体操を行なう「体育館」、そのほか「テニスコート」や「スイミングプール」が集まる。

閩江金山寺／闽江金山寺 ★☆☆
mǐn jiāng jīn shān sì
びんこうきんざんじ／ミィンジィアンジィンシャンスウ

　　福州方面に流れてきた閩江がちょうど南北にわかれる地点近くに立つ八角七層の閩江金山塔。閩江南港(烏龍江)の水中寺の金山寺は、鎮江の金山寺のように水面に浮かぶ姿から、この名前がとられた。南宋(1127〜1279年)の紹興年間に建てられた。

★☆☆
厳復墓／严复墓 ヤァンフウムウ
鄭公渡／郑公渡 チェンゴォンドウ
福州市海峡奥体中心／福州市海峡奥体中心 フウチョウシイハァイシャアアオティイチョンシィン
閩江金山寺／闽江金山寺 ミィンジィアンジィンシャンスウ
張経墓／张经墓 チャァンジィンムウ
閩江／闽江 ミィンジィアン
上下杭歴史文化街区／上下杭历史文化街区 シャンシャアハァンリイシイウェンフゥアジエチゥウ
煙台山／烟台山 イエンタアイシャン
琉球墓苑／琉球墓园 リィウチィウムウユゥエン
江心公園／江心公园 ジィアンシィンゴォンユゥエン

張経墓／张经墓★☆☆

zhāng jīng mù

ちょうけいぼ／チァンジィンムウ

　　閩江北港のほとり、丘陵の地形にあわせて展開する張経墓。張経は明代、倭寇を倒した将軍で、嘉靖年間(1521～66年)の倭寇討伐で成果をあげた(手柄を奪われ冤罪となったが、孫の代に名誉が回復され、この地にほうむられた)。張経は福州近くの閩侯出身で、近くの金山寺で勉学にはげんだと言われる。

福州北郊城市案内

福州北郊外には王審知や林則徐といった
福州ゆかりの人びとの墓
雪峰寺や崇福寺などの古刹が点在する

閩王王審知墓／閩王王审知墓★☆☆
mǐn wáng wáng shěn zhī mù
びんおうおうしんちぼ／ミィンワァンワァンシェンチイムウ

　福州市街から北に8km、斗頂山に残る閩王王審知墓。唐末の混乱のなか、王審知は華北より移住して福州に閩国(909〜945年)を建て、土地や教育の整備、産業の振興など国づくりを進めてきた。その死後は「開閩王」として福州人の尊敬を集め、福州市街にあった邸宅跡は「閩王祠」となっている。王審知墓は当初、鳳池山にあったが、932年にこの地で改葬され、盗掘などの被害を受けることもあった。1981年に改修されたとき、新たな墓室が発見され、王審知の経歴をつづった墓誌銘が出土した。

林則徐墓／林则徐墓★☆☆
lín zé xú mù
りんそくじょぼ／リィンチェスウムウ

　福州市街の北西5km、馬鞍村の金獅山麓に位置する林則徐(1785〜1850年)の墓。福州出身の官吏林則徐はイギリス商人の密輸するアヘンのとり締まりにあたり、現在では中国近代の民族的英雄とされる。イギリスの圧力を受けて1840〜42年のアヘン戦争のなかで罷免され、広東省潮州で病死したのち、故郷の福州で葬られた。この墓は1826年、林則徐が

福州北郊

N

← 雪峰寺へ

閩王
王審知墓

寿山

林陽寺 ●

福
州
繞
城
高
速
公
路

象峰
崇福寺 ●

福州
森林公園 ●

象峰

林則
徐墓 ●

福州駅

屏山

閩江

張経墓 ●

西湖

0km   10km   福州旧城

在命中、父母のためにつくったもので、林則徐本人のほか父母、妻、弟など一族が埋葬されている。1961年に再建され、赤土、石灰、砂利からなる三合土を素材とする4層のたたずまい、墓前には一対の石獅子も見える。

福州森林公園／福州森林公園 ★☆☆
fú zhōu sēn lín gōng yuán
ふくしゅうしんりんこうえん／フウチョウサァンリィンゴォンユゥエン

　豊かな亜熱帯の自然を利用して整備された福州森林公園（福州植物園）。榕樹園、桜花園はじめ、竹類観賞園、珍稀植物園からなり、3000種類もの品種が栽培されている。また敷地内には仏教寺院や磨崖石刻も見られる。

崇福寺／崇福寺 ★☆☆
chóng fú si
すうふくじ／チョォンフウスウ

　福州郊外の象峰山麓に立ち、白壁、黒の屋根瓦、赤の格子窓をもつ伽藍が展開する崇福寺。北宋の977年に創建されたあと衰退したが、明末清初に再興され、福州五大禅寺の一角をしめた。15世紀以降、福州と日本の長崎を結ぶ航路に乗って、福州から長崎を訪れる華僑が増え、長崎の三福寺（中国寺）のなかで、1629年、超然によって建てられた崇福寺（福州寺）は、福州崇福寺をもとにする。

★☆☆
閩王王審知墓／闽王王审知墓 ミィンワァンワァンシェンチイムウ
林則徐墓／林则徐墓 リィンチェエスウムウ
福州森林公園／福州森林公园 フウチョウサァンリィンゴォンユゥエン
崇福寺／崇福寺 チョォンフウスウ
林陽寺／林阳寺 リィンヤァンスウ
寿山／寿山 ショウシャン
閩江／闽江 ミィンジィアン
張経墓／张经墓 チャァンジィンムウ

路線バスが福州郊外への足となる

豊かな流れをたたえる閩江

天秤棒をかつぐ人びとに出合った

林陽寺／林阳寺 ★☆☆
lín yáng sì
りんようじ／リンヤァンスウ

　　五代十国の閩代(931もしくは936年)に創建された林陽寺。創
建当初は林洋院と号し、興亡を繰り返したが、清代、涌泉寺
の援助のもと再興された。瑞峰の麓に位置する。

寿山／寿山 ★☆☆
shòu shān
じゅさん／ショウシャン

　　福州市街の北にそびえる標高900mの寿山。唐宋時代に
は仏教の僧侶が修行し、ここを拠点に義存禅師が布教を行
なっていた。芙蓉洞には100人を収容できる開山堂があり、
またこの山でとれる寿山石は印鑑や彫刻などで重用され
る。

雪峰寺／雪峰寺 ★☆☆
xuě fēng sì
せつほうじ／シュウエフェンスウ

　　雪峰寺は鳳凰山の南麓にたたずむ古刹で、870年、中国仏
教屈指の名僧である義存(822〜908年)によって建立された。
義存は泉州出身の福建人で、門弟は1500人におよび、唐の皇
室から真覚大師の号と紫袈裟を下賜されている(ここ雪峰寺
は、多くの名僧を輩出した)。894年、唐に替わった閩の王審知が
保護者となり、「大雄宝殿」「法堂」「斎堂」「鐘楼」などが整備
されていった。そのほかには雪峰寺を開いた義存がまつら
れた「義存祖師塔」、義存が庵を結んで暮らした高さ3.3m、周
囲7mの「枯木庵」も見える。雪峰崇聖禅寺とも呼ばれ、福州
五大禅院のひとつに挙げられる。福州市街から76㎞。

福州の福は仏にも通じる、かつて仏国と呼ばれた

馬尾城市案内

より東海へ近い場所に位置する外港の馬尾
大型船はここに停泊し小型船に乗り換えて
福州旧城に向かうといったことも見られた

馬尾／马尾★★☆
mǎ wěi
まび／マアウェイ

　馬尾は、福州から16kmくだったところに位置する港町。福州西方で南北にわかれた閩江が合流する場所で、福州市街南の閩江は川底が浅く、大型船の停泊にも向いていないため、馬尾港は古くから福州の外港(「海の窓口」)となってきた。鄭和の艦隊や海のシルクロードといった話でもたびたび顔をのぞかせ、馬尾に立つ羅星塔はそのシンボルだった。福州が開港した近代以降、馬尾に港湾施設がつくられ、遡行してきた大型船は馬尾で停泊し、そこから小型船に乗り換えて福州旧城に向かうという光景も見られた。馬尾から45kmで閩江河口部にいたる。

羅星塔／罗星塔★★★
luó xīng tǎ
らせいとう／ルゥオシィンタア

　福州の外港にあたった馬尾港の羅星山に立つ羅星塔(磨心塔ともいう)。楼閣式石塔の高さは31.5mになり、閩江を往来する船乗りたちへの灯台の役割を果たしてきた。宋代(960〜1279年)、広東人の柳七娘は、有力者の求婚を断ったことで、夫ともに福州に流された。夫は苦役に従事させられ、やがて

福州繞城高速公路

五虎門

藩海高速

福州駅

閩安鎮

地鉄2号線

福州西湖公園

鼓山

湧泉寺

地鉄1号線

閩江

馬尾

羅星塔

長楽

福州南駅

三峰寺塔

天妃霊応之記碑

機場高速

福州長楽国際空港

0km   20km

N

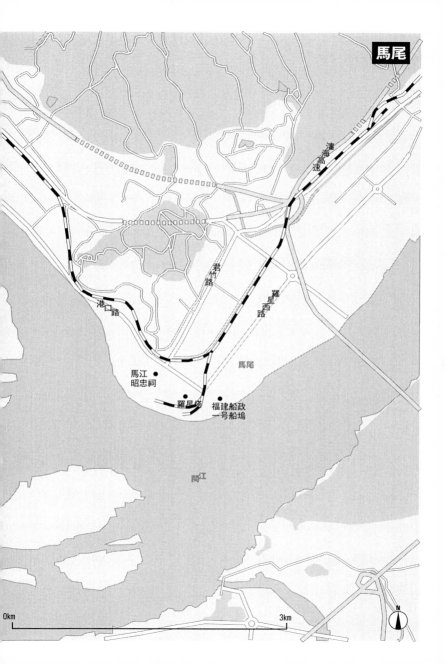

馬尾

瀋海高速

君竹路

羅星西路

港口路

馬尾

馬江
昭忠祠

羅星塔

福建船政
一号船塢

閩江

0km   3km

N

生命を落とした。これに哀しみ、憤った柳七娘は財産を売り、夫の冥福を祈って塔を建てたのが羅星塔のはじまりだという。その後、明代(17世紀)に再建され、清代末期の1884年に、中国とフランスがこの塔近くで戦火(清仏戦争)を交えたため、損傷することもあった。1964年に公園として整備され、塔の上部からは閩江の流れが見える。

馬江昭忠祠／马江昭忠祠★☆☆

mǎ jiāng zhāo zhōng cí

まこうしょうちゅうし／マアジィアンチャオチョオンツウ

　紅の外壁に周囲をおおわれ、門前に大砲がおかれた馬江昭忠祠。馬江とはこのあたりの閩江の呼称で、1884年の「馬江の役(清仏戦争)」で生命を落とした兵士たちがまつられている。西欧列強が中国へ進出するなか、ベトナムの宗主権をめぐって、清朝とフランスは戦い、馬尾の福建海軍は壊滅された(この戦いで清朝はベトナムの宗主権を放棄させられた)。こうして清朝末期に建てられた馬江昭忠祠は、現在、福州馬江海戦紀念館として転用されている。

★★★

鼓山／鼓山 グウシャン

涌泉寺／涌泉寺 ヨンチュウアンスウ

羅星塔／罗星塔 ルゥオシィンタア

★★☆

馬尾／马尾 マアウェイ

★☆☆

馬江昭忠祠／马江昭忠祠 マアジィアンチャオチョオンツウ

福建船政一号船塢／福建船政一号船坞 フウジィエンチュウアンチャンイイハァオチュウアンウウ

長楽／长乐 チャンラア

天妃霊応之記碑／天妃灵应之记碑 ティエンフェイリィンインインチイジイベェイ

三峰寺塔／三峰寺塔 サァンフェンスウタア

閩安鎮／闽安镇 ミィンアァンチェン

五虎門／五虎门 ウウフウメン

中国近代化の焦点となった馬尾

　1840～42年のアヘン戦争に敗れ、1851～64年の太平天国の乱の鎮圧でも、西欧製武器が活躍したことから、清朝は近代化へと舵を切るようになった。この中国の近代化は西欧の拠点がおかれた開港場からはじまり、1866年、閩浙総督左宗棠（1812～85年）が福州馬尾山の麓に船政局を創設した。福州船政局は中国で最初の海軍学校と近代的造船所となり、フランス人技術者を顧問とした。地理、歴史、物理、代数学、三角術、幾何学などの講義を通じて人材育成にも力を入れたことから、中国海軍将校の7割は福建出身と言われるほどだった。福州船政局のほかにも、馬尾には海関分署、郵便局、電報局などがおかれ、上海や天津とともに中国近代化の先駆けとなった。上海では1865年、李鴻章設立の上海江南製造局、天津では1867年、天津機器局が設立されている。

福建船政一号船塢／福建船政一号船坞★☆☆
fú jiàn chuán zhèng yī hào chuán wù
ふっけんせんせいいちごうせん／フウジエンチュウアンチャンイイハァオチュウアンウウ

　福建船政一号船塢は1866年、福州馬尾に創設されたドッグ跡。閩浙総督左宗棠（1812～85年）の設立した、福州船政局が近くにあった（左宗棠は曽国藩のもとで太平天国平定に貢献し、洋務運動を推進した）。

長楽／长乐★☆☆
zhǎng lè
ちょうらく／チャンラア

　馬尾から少しくだった閩江河口部に位置する長楽（馬尾の対岸）。春秋戦国時代、ここで呉王夫差が船をつくったという伝説が残り、三国（220～280年）時代の呉の孫権が典船校尉（船舶の管理を行なう）をおいたこともわかっている。明代、鄭和（1371～1434年）がその航海のなかで、長楽に足をとどめ、船の

馬尾に立つ羅星塔、灯台の役割を果たした

イギリスのアヘン密輸と戦った林則徐は福州人

小高い丘に羅星塔が立つ

1884年の清仏戦争で馬尾の艦隊は壊滅状態になった

整備を行なうなど、航海の拠点となってきた。

天妃霊応之記碑／天妃灵应之记碑★☆☆
tiān fēi líng yīng zhī jì bēi
てんきれいおうしきひ／ティエンフェイリィンインチイジイベェイ

　　福州近郊の長楽南山に立つ高さ1.6mの天妃霊応之記碑。
この碑は、鄭和が南海遠征にあたって、長楽南山の天后宮に
参って航海の安全を祈願した記録で、明代初期の1431年に
建立された(船が福州を出発したあと、羅星塔、長楽などで、道士による
祭祀が行なわれ、海に出るまでに時間がかかった)。鄭和の船団の人数
や航海時期が記され、近くには鄭和史迹陳列館も残る。

三峰寺塔／三峰寺塔★☆☆
sān fēng sì tǎ
さんほうじとう／サァンフェンスウタア

　　長楽にそびえる南山の山頂に立つ三峰寺塔。高さ27mの
楼閣式石塔は、北宋の1117年の建立された。各層には彫刻
がほどこされ、第7層には鄭和が4度目の航海にあたって、
この地を訪れ、三峰寺を補修したと記されている。現在、三峰
寺はなく、塔のみが残る。

閩安鎮／闽安镇★☆☆
mǐn ān zhèn
びんあんちん／ミィンアァンチェン

　　閩江河口に近い閩安鎮は、福州を目指して閩江を遡行し
てきた朝貢船のための最初の窓口(役所)がおかれたところ。
閩安鎮巡検司は、朝貢船の到着を確認し、査験を行なった(倭
寇や海賊の心配があるときは、ここ閩安鎮から護衛の船がそばについたと
いう)。閩安鎮の港にかかる長さ66m、幅4.8mの花崗岩製の
「迴竜橋」、閩江を隔てた対岸には山と花崗岩がつくる美し
い風景をもち、閩江七景にあげられる「金剛腿」が知られる。
福州から25km。

五虎門／五虎门★☆☆

wǔ hǔ mén
ごこもん／ウウフウメン

　福州への入口となる閩江河口部には、5つの虎に似た岩が浮かび、この岩にちなんで閩江河口部を五虎門と呼ぶ。琉球からの朝貢船も、五虎門を目指すなど、福州を訪れる人びとの目印となってきた。また福州から外海を目指す船は途中、閩江ほとりの羅星塔、天后宮などで祭祀を行なったことから、福州から20日かけて五虎門にいたり外海に出ることもあったという。福州から50km。

福州郊外と開発区／「閩江」の流れとともに

Fu Zhou Jiao Qu
福州郊外城市案内

江戸時代、黄檗宗を伝えた隠元は
福州近郊の黄檗山万福寺の僧侶だった
「古黄檗」は日本人にとっても思い入れある場所

福清／福清★☆☆
fú qīng
ふくせい／フウチィン

　福州から南に40km離れた海岸沿いに位置する福清。東海に面し、山がちな地形から農業に向いておらず、水産業や製塩業で知られてきた。唐代の699年に県がおかれ、当初は福東と呼ばれていたが、閩国の933年、「山自永福里、水自清源里」の言葉から福清と呼ばれるようになった。宋代、福清石坑村で焼かれた黒釉陶磁器が有名だったほか、日本にもゆかりのある黄檗山が位置する。また華僑をよく輩出する土地柄で、インドネシアにおける華僑の多くは、福清魚渓を故郷とする。

黄檗山万福寺／黄檗山万福寺★★☆
huáng bò shān wàn fú sì
おうばんさんまんぷくじ／フゥアンボオシャンワァンフウスウ

　福清市街から南西15km、周囲の山に抱かれるように立つ黄檗山万福寺。この地から海を渡った隠元(1592〜1673年)が京都宇治に黄檗山萬福寺を開き、黄檗宗を日本に伝えるなど、「黄檗宗発祥の地」と知られる。もともと唐代の789年、黄檗希運(禅宗の一派である臨済宗を開いた義玄の師)によって開かれことをはじまりとする。元代に入っておとろえ、明代、倭寇

福州郊外

赤岸村

福建省

雪峰寺

瀋海高速

福州駅

鼓山

五虎門

福州

馬尾

福州
南駅

福清

青雲山
御温泉

石竹寺

瑞雲塔

東海

黄檗山
万福寺

平潭島

平潭

莆田

N

0km   100km

の襲撃を受けて消失したが、隠元によって再興された。長崎
興福寺の逸然の招きで隠元が日本に渡ったあとも、ここか
ら70人もの僧が日本に渡っている。日本の黄檗山萬福寺に
くらべて衰退していったが、現在は再興が進み、中軸線に伽
藍が続き、法堂には観音菩薩とともに隠元の画も飾られて
いる。

黄檗宗とは

　　黄檗宗は臨済宗や曹洞宗とともに禅宗の一派で、江戸時
代の1654年、福清から渡来した隠元隆琦(1592〜1673年)に
よって日本にもたらされた。黄檗宗が臨済宗(栄西)や曹洞宗
(道元)と異なるのは、それを伝えたのが中国人(隠元)であっ
たということ。中国で使われている文化をそのままともな
い、臨済宗が「ハンニャハラミタ」と読む『般若心経』を黄檗
宗は「ポゼポロミト」と読むといった特徴がある。黄檗宗は
その教えだけでなく、伽藍建築、書画、普茶料理など、当時最
先端の中国文化を日本に伝えた。江戸時代の日本にとって
中国は憧憬の国であり、隠元は江戸幕府の保護を受けて京
都に土地があたえられ、日本の黄檗山萬福寺が開山された。

★★★
鼓山／鼓山 グウシャン
★★☆
黄檗山万福寺／黄檗山万福寺 フゥアンボオシャンワァンフウスウ
馬尾／马尾 マアウェイ
★☆☆
福清／福清 フウチィン
石竹寺／石竹寺 シイチュウスウ
瑞雲塔／瑞云塔 ルゥイユゥンタア
青雲山御温泉／青云山御温泉 チィンユゥンシャンユゥウェンチゥアン
平潭／平潭 ピンタァン
赤岸村／赤岸村 チィアンチュン
五虎門／五虎门 ウゥフウメン
雪峰寺／雪峰寺 シュゥエフェンスウ

中国各地へ発車するバスを待つ人たち

空海入唐の石碑が見られる、開元寺にて

石竹寺／石竹寺 ★☆☆
shí zhú sì
せきちくじ／シイチュウスウ

　福清石竹山の中腹、急な勾配にあわせて伽藍が展開する石竹寺。寺院の建立は唐代の847年にさかのぼり、あたりには奇岩や竹松などが点在している。また伝説では、唐よりさかのぼる漢代、福州于山で修行をしていた何氏九兄弟がこの山で仙人になったと伝えられる。そのため、石竹寺九仙楼に滞在し、よい夢を見たならばそれがかなうという。

瑞雲塔／瑞云塔 ★☆☆
ruì yún tǎ
ずいうんとう／ルゥイユゥンタア

　福清東南の丘に立ち、美しいたたずまいを見せる瑞雲塔。明代の1606年から造営がはじまり、完成までに10年を要した八閣七層の楼閣式石塔は、高さ30mを超す。

青雲山御温泉／青云山御温泉 ★☆☆
qīng yún shān yù wēn quán
せいうんさんごおんせん／チンユゥンシャンユウウェンチュゥアン

　唐代から福州の人びとは温泉に親しんでいたと言われ、とくに清代と中華民国時代に温泉開発がさかんになった。福清郊外の青雲山御温泉は自然のなかで滞在できるリゾート施設で、あたりは青雲山峡谷瀑布景区となっている。

平潭／平潭 ★☆☆
píng tán
へいたん／ピンタァン

　福州から南東に80km、洋上に浮かぶ平潭。この福建省最大の島（中国第5の島）は、海峡大橋で大陸と結ばれている。台湾へ近く、長江デルタ、珠江デルタという経済圏を結ぶ立地が注目され、平潭総合実験区が設置され、投資が呼び込まれて

いる。

赤岸村／赤岸村 ★☆☆
chì àn cūn
せきがんむら／チィアンチュン

　804年、遣唐使として海を渡った空海が漂着した福州近郊
の赤岸村。当時はここ「福州長渓県赤岸鎮巳南」あたりまで
海がせまっていて、「空海坊」と書かれた牌坊が立ち、「空海
漂着の碑」も見える。また日本の真言宗信者の協力もあっ
て建てられた「空海大師紀念堂」には空海の木像が安置され
ている。赤岸村に漂着した空海は、嘆願書を書くことで正式
に入国が認められ、都長安へ向かうことになった。福州から
120km離れた海岸地帯に位置する。

福州郊外と開発区／「閩江」の流れとともに

福州と海往来する人たち

東海へ流れ込む閩江の河口部に開けた福州
長らく福建の中心地であるという性格から
海路を通じてさまざまな往来があった

福州華僑の活躍

　東海に面した福州（閩東）では、人びとは唐宋（618〜1279年）時代から外海へ繰り出してきた。マレー半島、シンガポール、インドネシアで福州人は現地コミュニティをつくり、東マレーシアのサラワク、ブルネイは福州人によって開拓されたという面もある。これら福州語を紐帯とする福州華僑は「福州幇」と呼ばれ、現地で商売、教育、医療などの相互扶助を行なった。福州人が建てた同郷会館はしばしば福州の三山からとった「三山会館」と呼ばれ、各種行事では福州語による福州劇が催された。江戸時代の長崎では、華僑によって三福寺が建てられたが、崇福寺が福州華僑、興福寺が浙江華僑、福済寺が閩南華僑によるものだった。また20世紀後半に、日本への不法入国を試みた人の多くが、福建省福清市の若者であったという。

倭寇の跋扈と活躍と

　福建、広東などの中国東南沿岸部から、西日本、琉球、朝鮮、台湾、フィリピンにいたるまで、密貿易や略奪を行なっていた海賊を倭寇と呼ぶ。14〜15世紀にかけて倭寇は、その多数が西日本や九州の日本人であったため、「倭

四隅のそりあがった屋根がこの地方の建築の特徴

洋務運動の舞台となった福建船政一号船塢にて

帆を立てて進むジャンク船

（日本）」の文字が使われた。16世紀に入ると日本人は少なく、倭寇のほとんどが中国人であったという。明（1368〜1644年）代、「北虜南倭」の言葉でも知られるように、倭寇の跋扈は明朝を大いに悩まし、福州には倭寇討伐で成果をあげた戚継光ゆかりの戚公祠や張経墓も残る。この時代の倭寇の首領王直（〜1559年）は鉄炮伝来に居あわせるなど、日本とゆかりも深く、王直の船団は顔思斉、鄭芝竜へと受け継がれ、鄭芝竜は日本人と結婚して鄭成功（1624〜62年）が生まれている。明清交代期にあって、鄭成功は厦門や福州など福建省沿岸部を中心に勢力を広げ、独立国の様相を見せていた。

空海、福州へ

804年の遣唐使船では、藤原葛野麻呂を大使とする第1船に空海が、第2船に最澄が乗船していた。これら遣唐使船は五島列島から東海を一気に渡る南路を進んだが、空海の第1船は34日間漂流したのち、本来の目的地であった長江河口から南に流され、福州近くの海岸（赤岸鎮）に漂着した。赤岸鎮では対応に困り、より大きな行政府である渓県、続いて福州へ向かうことになった。空海ら遣唐使団は福州馬尾港に着いたが、福州刺史閻済美に国（日本）を代表する使節であると認められなかった。そのとき空海は「賀能、啓す」からはじまる「大使の為に福州の観察使に与える書」を認め、空海の深い教養と美しい文章が福州刺史閻済美を驚かせた。遣唐使団は上陸を許可され、衣食住のもてなしを受け、長安（西安）行きを許可された。空海は福州にとどまったのち、長安の青龍寺で密教を学んだが、一方の最澄は長安行きがかなわず、浙江省天台山で天台宗を学んだ。

隠元の東渡

　隠元(1592～1673年)は福州近く、黄檗山の位置する福清県で生まれた。29歳で出家し、浙江省や黄檗山で修行を積み、黄檗山萬福寺の住職となっていた。当時、長崎の華僑はしばしば本国から名僧を呼び、隠元は自らの東渡より10年前の1644年に長崎へ渡っていた逸然の招きを受けていた。弟子や周りの人びとの反対もあって、隠元は三度断ったが、ついに東渡を決め、1654年、中国僧30名を引き連れて泉州から厦門へ向かい、鄭成功の船に乗って15日かけて長崎へ到着した(長崎崇福寺の招来に応じた福州鳳山報国寺の也懶性圭は厦門から出港したものの、難破して命を落とすという事件があった)。当初、3年で帰る予定だったが、江戸幕府の保護を受けて、1661年、隠元は京都宇治に黄檗山萬福寺を開山した。江戸時代に生きる人びとの中国趣味への憧憬もあって、優れた建築、絵画、煎茶、料理などが隠元の黄檗宗を通じて日本に広がった。このとき隠元が日本にもたらした食べものとして、隠元豆、レンコン、スイカなどがある。

近代中国の民族的英雄林則徐の墓は福州郊外に位置する

『福州孜』(野上英一/臺灣總督府熱帯産業調査會)

『福州上下杭社区(福建省)の空間構成に関する考察 その1：社区構成と施設分布』
(大日方覚・山田香波・趙冲・布野修司/学術講演梗概集)

『中国福建省・琉球列島交渉史の研究』(中国福建省・琉球列島交渉史研究調査委
員会/第一書房)

『福州琉球館物語』(多和田真助/ひるぎ社)

『沖縄空手道の歴史』(新垣清/原書房)

『中国福建省福州市の道教信仰』(川添裕希/西郊民俗)

『福州戯台見学記』(川島郁夫/東京外国語大学論集)

『元代福州萬壽橋の建設と頭陀教』(都通憲三朗/佛教経済研究)

『自由と国民 厳復の模索』(區建英/東京大学出版会)

『近代黎明期福建茶の生産と貿易構造』(陳慈玉著・小西高弘訳/福岡大学経済学
論叢)

『世界大百科事典』(平凡社)

仓山区旅游局 (中国語) http://lyj.fzcangshan.gov.cn/

[PDF] 福州地下鉄路線図http://machigotopub.com/pdf/fuzhoumetro.pdf

OpenStreetMap

(C)OpenStreetMap contributors

福州郊外と開発区／「閩江」の流れとともに

まちごとパブリッシングの旅行ガイド
Machigoto INDIA , Machigoto ASIA , Machigoto CHINA

マカオ-まちごとチャイナ

Juo-Mujin（電子書籍のみ）

自力旅游中国Tabisuru CHINA

福州

福州旧城
と南公園

0km   3km

N

福州旧城
と南公園

0km　　　　　　　　　　3km

N

南台

N

0km   2km

蒼前山

N

0km   1km

0km

20km

N

鼓山

N

0km   3km

N

0m　　　　　　　　　　　300m

涌泉寺

N

0km 5km

南西郊外

福州北郊

0km 10km

福州東郊外

0km　　　　　20km

N

馬尾

0km

3km

N

福州郊外

0km 100km

【車輪はつばさ】
南インドのアイラヴァテシュワラ寺院には
建築本体に車輪がついていて
寺院に乗った神さまが
人びとの想いを運ぶと言います

An amazing stone wheel of the Airavatesvara Temple
in the town of Darasuram, near Kumbakonam in the South India

まちごとチャイナ
福建省 004

福州郊外と開発区
「閩江」の流れとともに
［モノクロノートブック版］

「アジア城市（まち）案内」制作委員会
まちごとパブリッシング
http://machigotopub.com

・本書はオンデマンド印刷で作成されています。
・本書の内容に関するご意見、お問い合わせは、発行元の
　まちごとパブリッシング info@machigotopub.com までお願いします。

まちごとチャイナ
新版 福建省004福州郊外と開発区
〜「閩江」の流れとともに

Digital
Publishing

2020年 8月15日　発行

著　者　　「アジア城市（まち）案内」制作委員会
発行者　　赤松　耕次
発行所　　まちごとパブリッシング株式会社
　　　　　〒181-0013　東京都三鷹市下連雀4-4-36
　　　　　URL http://www.machigotopub.com/
発売元　　株式会社デジタルパブリッシングサービス
　　　　　〒162-0812　東京都新宿区西五軒町11-13
　　　　　清水ビル3F

印刷・製本　株式会社デジタルパブリッシングサービス
　　　　　URL http://www.d-pub.co.jp/

MP252